LA GRANDE IMAGERIE

LES AVIONS

POUR LES FAIRE CONNAITRE AUX ENFANTS

Conception
Émilie BEAUMONT

Texte
Agnès VANDEWIELE

Images
Pascal LAHEURTE
Steve WESTON

ÉDITIONS FLEURUS, 15-27, rue Moussorgski 75018 PARIS

LES FOUS VOLANTS

Depuis toujours, les hommes rêvent de voler. Dans la mythologie grecque, Icare se fabrique des ailes de cire et de plumes et s'élance dans les airs, avant de sombrer dans la mer. Au XVe siècle, Léonard de Vinci dessine les plans de machines volantes. En 1891, un ingénieur mécanicien allemand, Otto Lilienthal, réalise des planeurs avec une armature de bambous liés par du rotin et recouverts de toile. S'élançant d'une colline en courant contre le vent, il accomplit d'impressionnants vols planés, dont certains atteignent près de 400 m. En 1889, le Français Clément Ader construit l'*Éole*. Ces premières machines fantaisistes ont permis de mieux comprendre le vol.

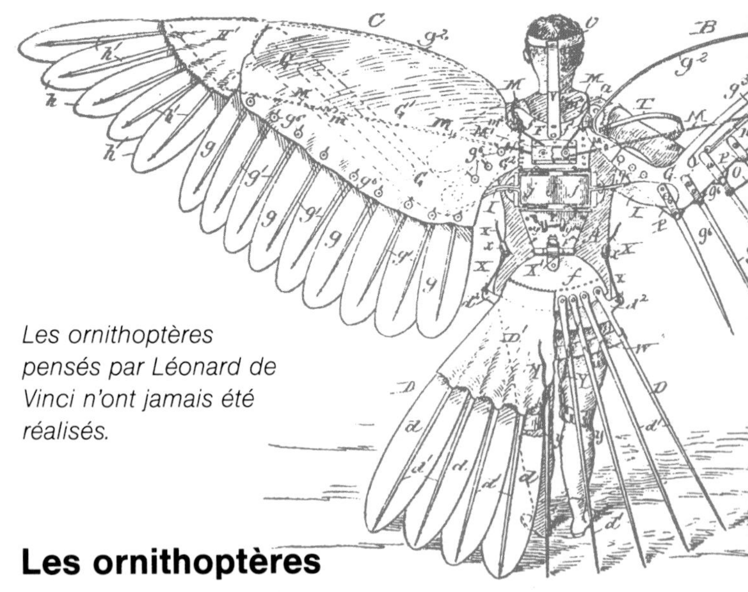

Les ornithoptères pensés par Léonard de Vinci n'ont jamais été réalisés.

Les ornithoptères

Dès 1486, Léonard de Vinci pense à construire des machines volantes en copiant le vol des oiseaux et leurs battements d'ailes. Il dessine des engins avec de grandes ailes et des commandes de direction. L'ornithoptère est l'une de ces machines où le pilote actionnerait avec ses bras et ses jambes de grandes ailes articulées à l'aide d'une série de ressorts. Ces idées ont été reprises à la fin du XIXe siècle par l'Américain Spalding.

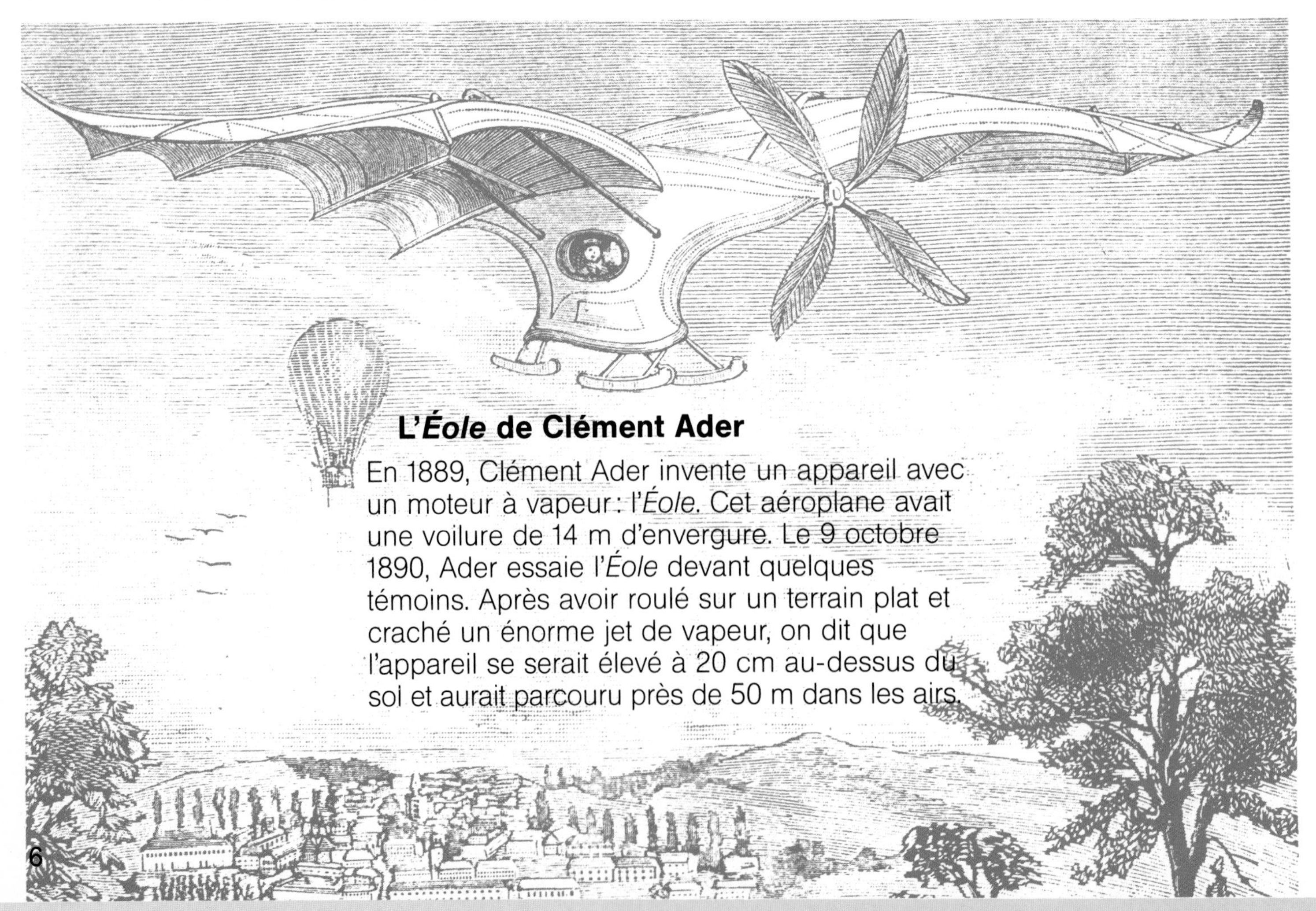

L'*Éole* de Clément Ader

En 1889, Clément Ader invente un appareil avec un moteur à vapeur : l'*Éole*. Cet aéroplane avait une voilure de 14 m d'envergure. Le 9 octobre 1890, Ader essaie l'*Éole* devant quelques témoins. Après avoir roulé sur un terrain plat et craché un énorme jet de vapeur, on dit que l'appareil se serait élevé à 20 cm au-dessus du sol et aurait parcouru près de 50 m dans les airs.

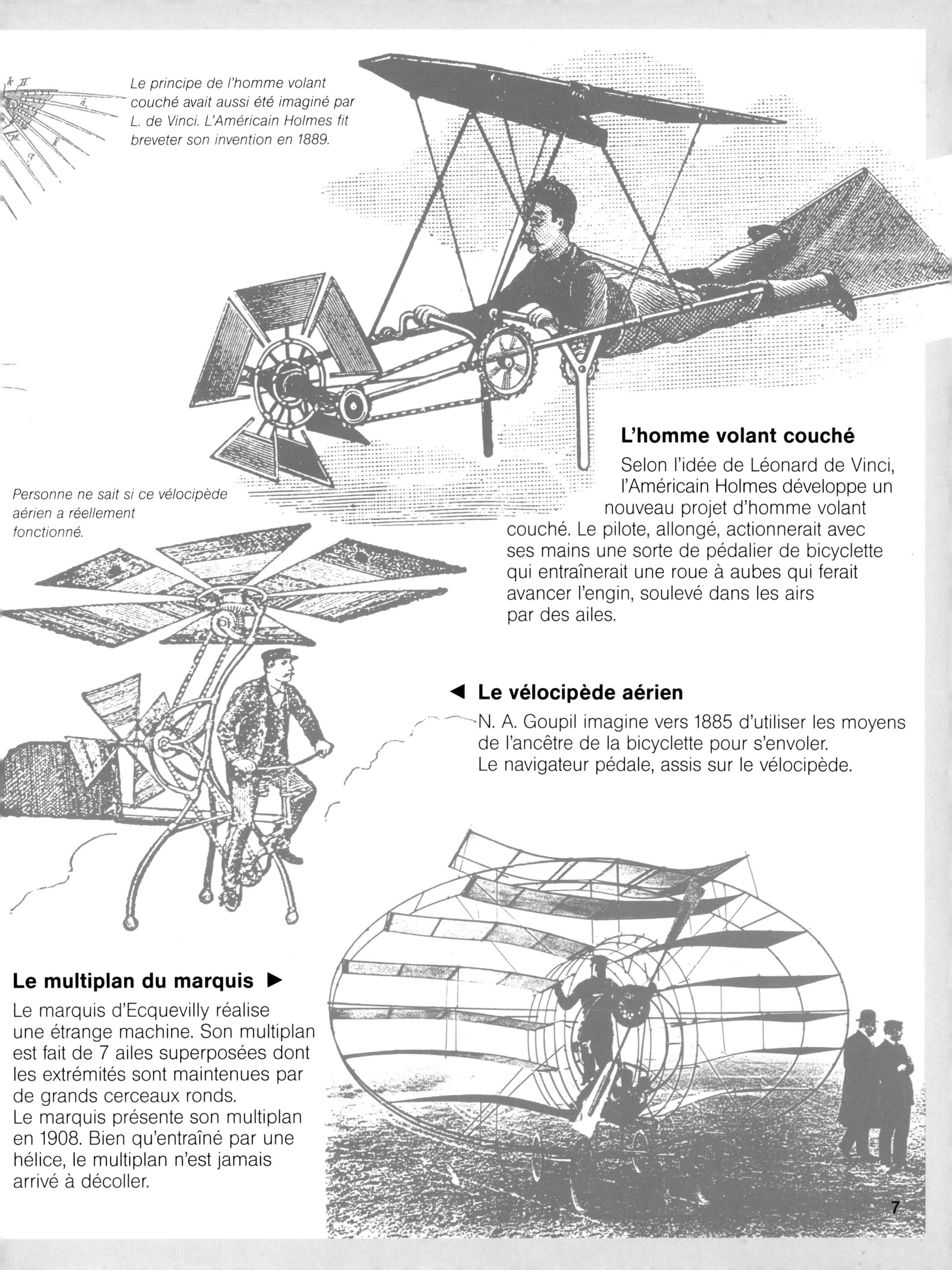

Le principe de l'homme volant couché avait aussi été imaginé par L. de Vinci. L'Américain Holmes fit breveter son invention en 1889.

L'homme volant couché

Selon l'idée de Léonard de Vinci, l'Américain Holmes développe un nouveau projet d'homme volant couché. Le pilote, allongé, actionnerait avec ses mains une sorte de pédalier de bicyclette qui entraînerait une roue à aubes qui ferait avancer l'engin, soulevé dans les airs par des ailes.

Personne ne sait si ce vélocipède aérien a réellement fonctionné.

◀ Le vélocipède aérien

N. A. Goupil imagine vers 1885 d'utiliser les moyens de l'ancêtre de la bicyclette pour s'envoler. Le navigateur pédale, assis sur le vélocipède.

Le multiplan du marquis ▶

Le marquis d'Ecquevilly réalise une étrange machine. Son multiplan est fait de 7 ailes superposées dont les extrémités sont maintenues par de grands cerceaux ronds.
Le marquis présente son multiplan en 1908. Bien qu'entraîné par une hélice, le multiplan n'est jamais arrivé à décoller.

LA CONQUÊTE DE L'AIR

Avec le premier envol en 1903, aux États-Unis, du *Flyer*, un aéroplane, et du *14 Bis* du Brésilien Santos-Dumont en 1906, débute la conquête de l'air. Malgré un outillage simple et de petits ateliers, les progrès sont rapides. Le Français Farman accomplit le premier voyage de ville à ville, parcourant 27 km entre Bouy et Reims en 1908. Il reste alors à prouver que l'aéroplane peut survoler les mers et relier les continents entre eux. Après la traversée de la Manche en 1909 et celle de la Méditerranée en 1913, l'Atlantique est franchi en 1927. L'océan Pacifique, lui, ne sera vaincu qu'en 1928.

Le Flyer *était un biplan (avion constitué de 2 ailes superposées) muni de 2 hélices actionnées par des chaînes de bicyclette.*

Le premier vol motorisé

Depuis 1899, aux États-Unis, les frères Wright essayent sans relâche de faire voler divers types de planeurs. Ils finissent par mettre au point un aéroplane : le *Flyer*. Le 17 décembre 1903, sur un terrain de Caroline du Nord, les deux frères réalisent, à bord du *Flyer*, le premier vol d'un aéroplane propulsé par un moteur à essence. Le *Flyer* vole 4 fois. Le dernier vol, le plus long, dure 59 s et couvre 260 m. Pour la première fois, un aéroplane motorisé s'est maintenu en l'air.

La performance de Blériot donne le coup d'envoi à de nombreux vols et records.

La traversée de la Manche

Le 25 juillet 1909, l'ingénieur français Louis Blériot décolle, près de Calais, à bord d'un petit avion de sa fabrication : le *Blériot XI*. Une demi-heure plus tard, après avoir parcouru 43 km, il se pose près de Douvres. Cette traversée de la Manche fut un exploit international.

Le *Blériot XI* était un monoplan de 8,60 m d'envergure, équipé d'un moteur de 25 chevaux. Après son exploit, Blériot reçut beaucoup de commandes pour son monoplan et devint un grand constructeur d'avions.

La traversée de la Méditerranée

Le 23 septembre 1913, l'aviateur Roland Garros quitte Saint-Raphaël à bord d'un monoplan Morane-Saulnier G, pour tenter de franchir la Méditerranée. L'avion, aux ailes élancées, est équipé d'un moteur Gnome de 60 chevaux. Pendant le voyage, certaines pièces du moteur se détachent. L'atterrissage a lieu près de Bizerte, en Tunisie. Roland Garros venait de franchir près de 800 km en 8 h environ.

Le premier kilomètre

Le 13 janvier 1908, Henri Farman accomplit le premier kilomètre en vol sur un biplan, muni d'un moteur et d'un volant de direction, conçu par les frères Voisin. Devant des experts, il décolle, franchit la ligne de départ en volant à 4 ou 5 m de hauteur, file vers un poteau fixé à 500 m ; là, il tourne et revient franchir en volant la ligne de départ. En 1 mn 28 s, il a bouclé le premier kilomètre en circuit fermé.

Avant d'atterrir en France, le Spirit of Saint Louis *survole les côtes américaines, Terre-Neuve, l'océan Atlantique, puis l'Irlande, les côtes anglaises et françaises.*

Roland Garros quitte Saint-Raphaël avec 250 l de carburant ; ce sera tout juste suffisant pour parcourir les 730 km jusqu'à Bizerte.

La traversée de l'Atlantique

Le 20 mai 1927, Charles Lindbergh, un pilote de l'aérospatiale américaine s'envole de New York, à bord d'un monoplan à ailes hautes, le *Spirit of Saint Louis*, pour essayer de traverser l'Atlantique. L'appareil est équipé d'un moteur de 223 chevaux et chargé de 1710 l de carburant. Il atterrit en France, au Bourget, le 21 mai 1927, à 22 h 22. Accueilli comme un héros, Charles Lindbergh venait de relier New York à Paris en solitaire et sans escale.

LES AVIONS DES DEUX GUERRES

Dès 1914, les petits avions servent à observer les troupes ennemies. En 1915 apparaissent les premiers bombardiers. De leur côté, les avions de chasse, équipés de mitrailleuses et pilotés par des as, se livrent des combats héroïques dans le ciel. C'est pendant la Première Guerre mondiale que l'avion devient un instrument de combat. Dès le début de la Seconde Guerre mondiale, les avions attaquent les troupes et détruisent le matériel au sol. Les bombardiers pilonnent les villes. Ils détruisent aussi les flottes ennemies. L'effort de guerre entraîne de nouveaux progrès techniques.

Le Handley Page

Ce biplan était l'un des plus gros avions de la Première Guerre mondiale.

Ce bombardier avait été construit par les Britanniques.

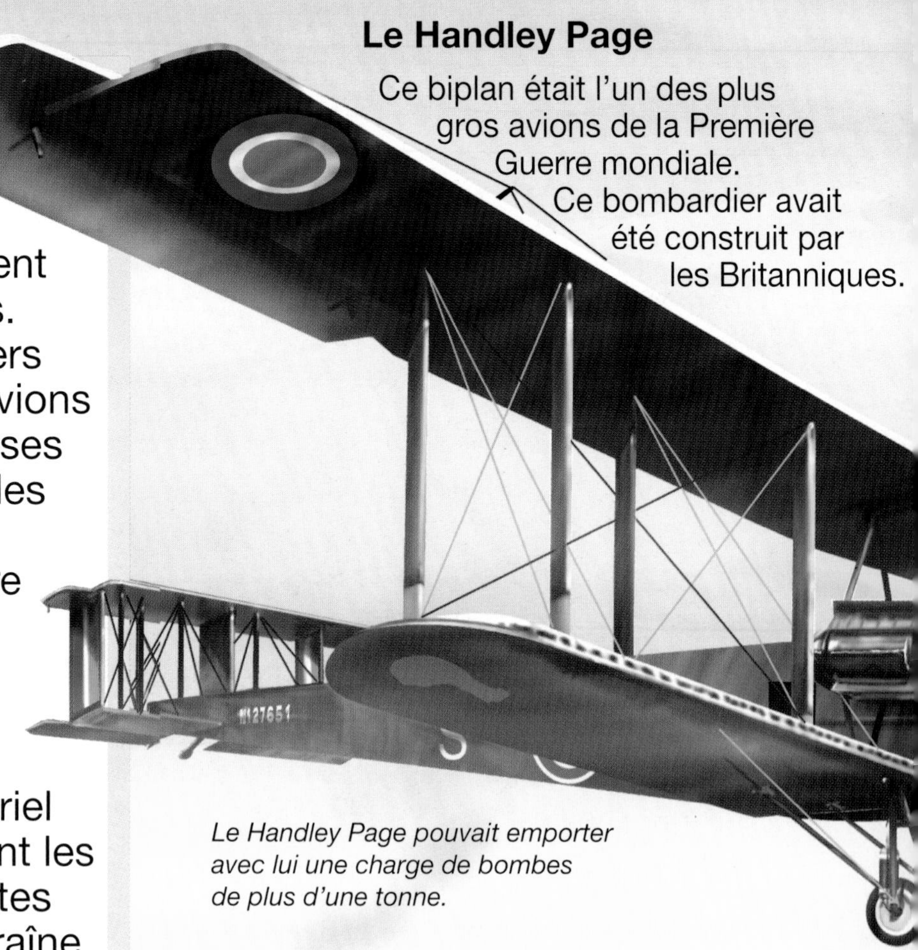

Le Handley Page pouvait emporter avec lui une charge de bombes de plus d'une tonne.

Le Sopwith Tabloid

Ce petit biplan, conçu par l'Anglais Thomas Sopwith, fut présenté en 1913. Il était capable d'atteindre une vitesse d'ascension de 456 m/min. Pendant la Première Guerre mondiale, il participa aux premiers raids aériens britanniques sur l'Allemagne. Il a aussi été transformé en appareil de compétition. Une autre version, le Sopwith Camel, fut un chasseur très performant.

Le Messerschmitt Me-262

Ce chasseur allemand de la Seconde Guerre mondiale est apparu sur le front en 1944. Ce fut le premier chasseur à réaction opérationnel utilisé par l'Allemagne. Propulsé par 2 réacteurs, il pouvait atteindre 870 km/h à une altitude de 2 600 m. Mais, employé comme chasseur bombardier, sa vitesse était réduite par le poids des bombes transportées. Le Me-262-IA était équipé de 4 canons automatiques fixés à l'avant du fuselage.

Au début de la Première Guerre, on ne largue pas c bombes mais des projectiles tels que des grenades des récipients d'essence, des fléchettes d'acier et même des briques ! Les premiers vrais bombardements ont lieu à partir de l'été 1914.

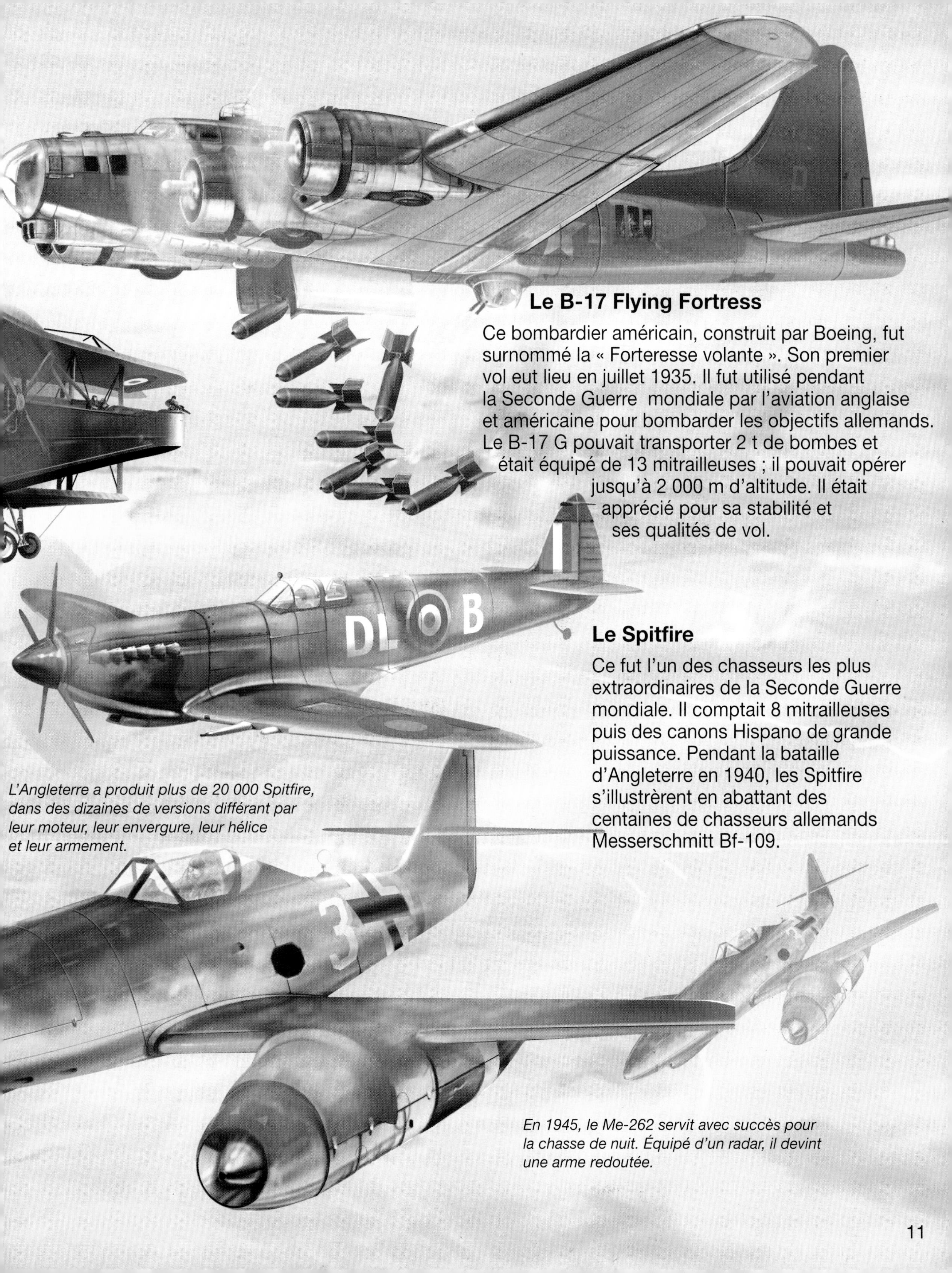

Le B-17 Flying Fortress

Ce bombardier américain, construit par Boeing, fut surnommé la « Forteresse volante ». Son premier vol eut lieu en juillet 1935. Il fut utilisé pendant la Seconde Guerre mondiale par l'aviation anglaise et américaine pour bombarder les objectifs allemands. Le B-17 G pouvait transporter 2 t de bombes et était équipé de 13 mitrailleuses ; il pouvait opérer jusqu'à 2 000 m d'altitude. Il était apprécié pour sa stabilité et ses qualités de vol.

Le Spitfire

Ce fut l'un des chasseurs les plus extraordinaires de la Seconde Guerre mondiale. Il comptait 8 mitrailleuses puis des canons Hispano de grande puissance. Pendant la bataille d'Angleterre en 1940, les Spitfire s'illustrèrent en abattant des centaines de chasseurs allemands Messerschmitt Bf-109.

L'Angleterre a produit plus de 20 000 Spitfire, dans des dizaines de versions différant par leur moteur, leur envergure, leur hélice et leur armement.

En 1945, le Me-262 servit avec succès pour la chasse de nuit. Équipé d'un radar, il devint une arme redoutée.

LES PREMIERS AVIONS DE LIGNE

Jusque dans les années 30, les avions de ligne sont de petits biplans à hélice. Ils ne peuvent pas voler en altitude. Dans leur cabine sans confort, exposés aux turbulences, une dizaine de passagers au plus sont assis sur des sièges en osier, non fixés au sol. Avec le Boeing 247 apparaît, en 1933, le premier avion de ligne moderne. Puis sortent des appareils toujours plus perfectionnés. En 1938, le Boeing 307 est le premier avion pressurisé : les passagers ne ressentent plus les différences de pression de l'altitude. Ces avions volent plus haut et plus loin.

Doté d'une autonomie de carburant de 780 km, le Boeing 247 peut voler à une vitesse de 304 km/h et traverser les États-Unis en moins de 20 h, avec 10 passagers à bord.

Avec ses 4 moteurs de 3 250 chevaux, le Super Constellation consommait près de 2 000 litres de carburant par heure de vol.

Le Douglas DC-3

Dans les années 30, l'avionneur américain Mac Donnell Douglas met au point un avion moderne et sûr, avec les techniques les plus évoluées de l'époque. C'est ainsi que le DC-3 entre en service en 1936. Cet avion va révolutionner le monde de l'aviation commerciale et concurrencer le Boeing 247. Il peut accueillir plus de passagers (21 pour la version vol de jour et 14 couchettes pour le vol de nuit), la cabine chauffée est spacieuse et confortable, la structure de la voilure et le train d'atterrissage, d'une grande solidité, en font un avion très sûr.

À bord du Douglas DC-3, stewards et hôtesses offrent aux passagers un service de qualité.

Le Boeing 247

Le 8 février 1933, Boeing fait voler son premier bimoteur de transport : le Boeing 247. C'est l'ancêtre du long-courrier aérien moderne. Il a une structure entièrement métallique, un train d'atterrissage escamotable et un système de dégivrage des ailes. Il dispose aussi d'un pilote automatique.

Le Boeing 377 Stratocruiser

Cet appareil de chez Boeing est lancé le 1er avril 1949. Il est inauguré par la compagnie américaine Pan American, pour laquelle il effectue son premier vol, de San Francisco à Honolulu, avec 86 passagers. Cet avion luxueux est un quadrimoteur dérivé du bombardier B-29. Ses cabines sont pressurisées et il est alors considéré comme l'avion de ligne le plus moderne.

Le Super Constellation a servi dans la plupart des grandes compagnies du monde.

Le L-1049 G Super Constellation

La première version du Constellation voit le jour en 1943. Ce fut l'un des plus remarquables avions de ligne à hélices. Sorti en 1951, le L-1049 G Super Constellation, plus grand et équipé de réservoirs de carburant supplémentaires, peut transporter 92 passagers. Avec ce modèle, la firme Lockheed parvient pour la première fois à accomplir des liaisons transatlantiques sans escale.

LES AVIONS DE LIGNE À RÉACTION

Les avions de ligne ont révolutionné le transport aérien. Remplaçant hélices et moteurs à pistons, les réacteurs permettent aux avions d'aller plus loin et plus vite. Le Comet britannique (1952) fut le premier avion à réaction du monde. Le Boeing 747, mis en service en 1970, a ouvert l'ère des gros porteurs et le Concorde, celui des transports supersoniques, qui ont une vitesse supérieure à celle du son. Avec l'an 2000 se profile l'apparition d'un géant : l'A-380 d'Airbus, qui sera le plus gros avion jamais construit.

Un avion à réaction de type A-340 a une durée de vie moyenne de 30 ans.

Voici le cockpit de l'A-340. Un pilote commandant de bord et un copilote assurent en alternance décollage et atterrissage. Les très longs-courriers nécessitent un copilote de renfort.

Le Boeing 777

Le Boeing 777 est un long-courrier. Le premier 777/200 a été livré en 1995. Il peut transporter 305 à 320 passagers. La version allongée du 777 (le 777/300) peut accueillir 360 à 550 passagers. Grâce à sa cabine spacieuse, il est possible de changer la disposition et le nombre de sièges en fonction de la compagnie et des lignes desservies. Cet avion est capable de parcourir 10 370 km en un vol, ce qui lui permet ainsi de relier par exemple San Francisco (États-Unis) à Tokyo (Japon).

Les séries 747 et 777 sont les avions de transport long-courriers de la marque américaine Boeing.

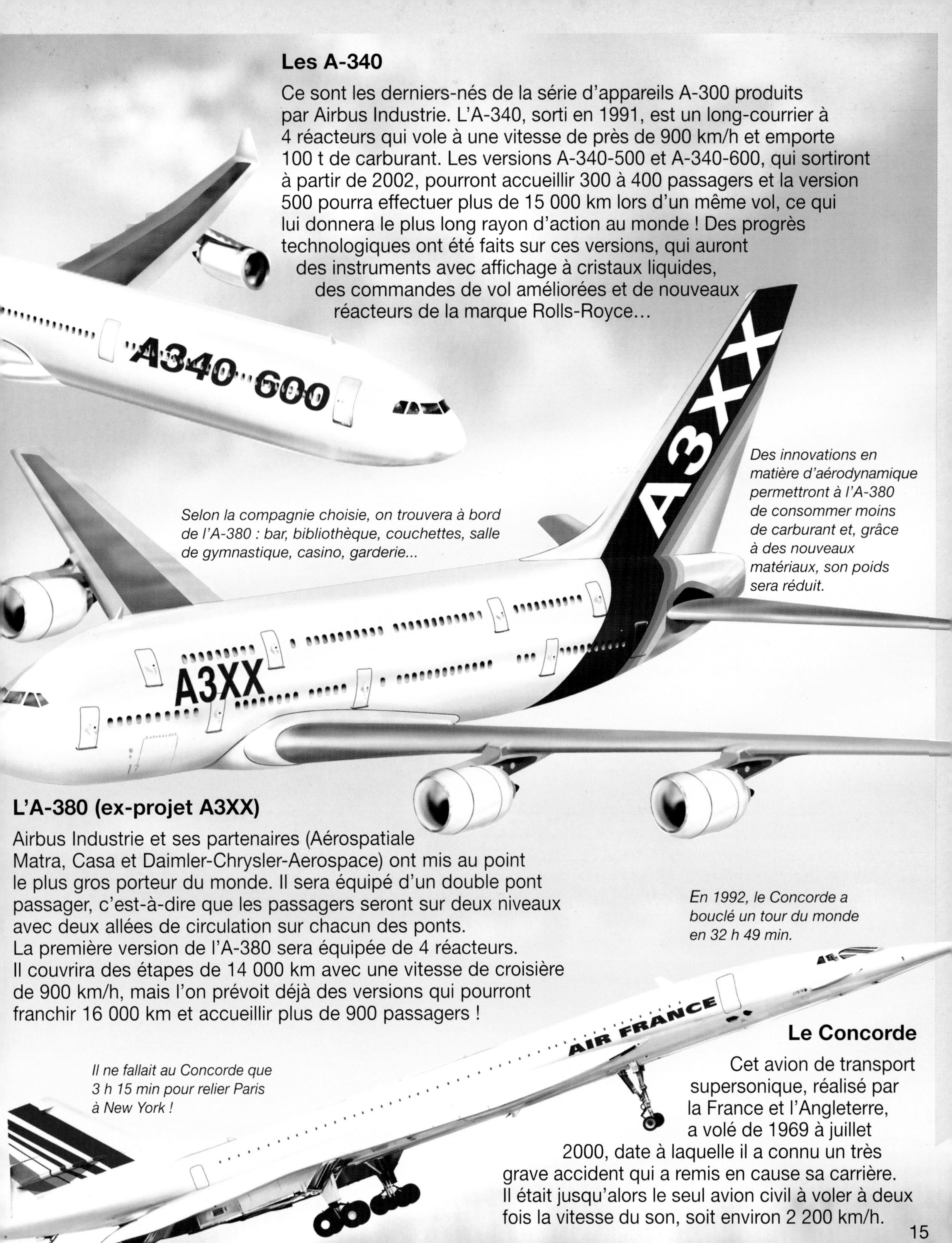

Les A-340

Ce sont les derniers-nés de la série d'appareils A-300 produits par Airbus Industrie. L'A-340, sorti en 1991, est un long-courrier à 4 réacteurs qui vole à une vitesse de près de 900 km/h et emporte 100 t de carburant. Les versions A-340-500 et A-340-600, qui sortiront à partir de 2002, pourront accueillir 300 à 400 passagers et la version 500 pourra effectuer plus de 15 000 km lors d'un même vol, ce qui lui donnera le plus long rayon d'action au monde ! Des progrès technologiques ont été faits sur ces versions, qui auront des instruments avec affichage à cristaux liquides, des commandes de vol améliorées et de nouveaux réacteurs de la marque Rolls-Royce...

Selon la compagnie choisie, on trouvera à bord de l'A-380 : bar, bibliothèque, couchettes, salle de gymnastique, casino, garderie...

Des innovations en matière d'aérodynamique permettront à l'A-380 de consommer moins de carburant et, grâce à des nouveaux matériaux, son poids sera réduit.

L'A-380 (ex-projet A3XX)

Airbus Industrie et ses partenaires (Aérospatiale Matra, Casa et Daimler-Chrysler-Aerospace) ont mis au point le plus gros porteur du monde. Il sera équipé d'un double pont passager, c'est-à-dire que les passagers seront sur deux niveaux avec deux allées de circulation sur chacun des ponts.
La première version de l'A-380 sera équipée de 4 réacteurs. Il couvrira des étapes de 14 000 km avec une vitesse de croisière de 900 km/h, mais l'on prévoit déjà des versions qui pourront franchir 16 000 km et accueillir plus de 900 passagers !

En 1992, le Concorde a bouclé un tour du monde en 32 h 49 min.

Le Concorde

Cet avion de transport supersonique, réalisé par la France et l'Angleterre, a volé de 1969 à juillet 2000, date à laquelle il a connu un très grave accident qui a remis en cause sa carrière. Il était jusqu'alors le seul avion civil à voler à deux fois la vitesse du son, soit environ 2 200 km/h.

Il ne fallait au Concorde que 3 h 15 min pour relier Paris à New York !

LA NAISSANCE D'UN AVION

Quand on imagine un nouvel avion, on décide d'abord de sa taille, de sa vitesse et de son rayon d'action. Le poids est l'un des principaux problèmes : l'appareil doit être à la fois solide et le plus léger possible. Un avion est fait d'environ 25 000 pièces. Les techniciens du bureau d'étude, les ingénieurs et les fournisseurs de certains éléments, assistés par des ordinateurs, collaborent étroitement pendant de longs mois pour concevoir et mettre au point toutes les pièces de l'ensemble. Une fois parfaitement définies, elles sont fabriquées et assemblées comme les morceaux d'un gigantesque puzzle.

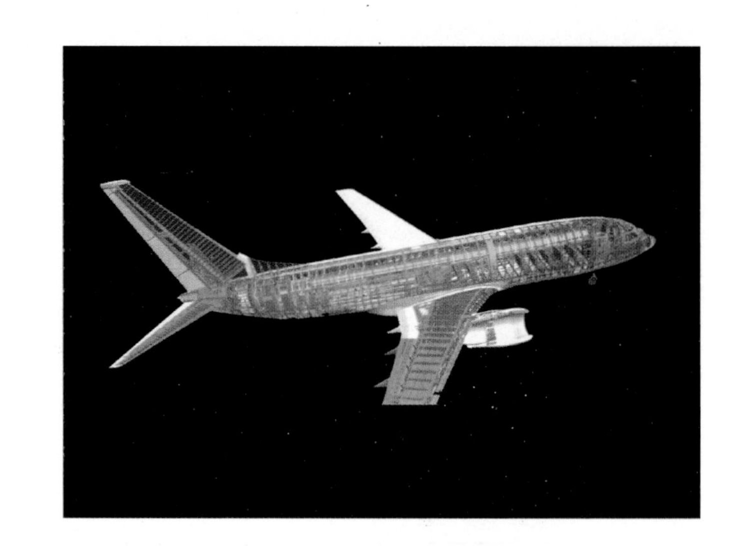

Un avion est composé du fuselage (cockpit ou poste de pilotage, cabine passagers, soutes à bagages…), des ailes (avec volets mobiles et réservoirs à carburant), de moteurs ou de réacteurs fixés sous les ailes, de commandes de vol et du train d'atterrissage.

Une tonne et demie de peinture est nécessaire pour peindre un avion.

Les ordinateurs interviennent dans toutes les étapes de fabrication de l'avion : conception, mise au point, construction, montage... 60 000 dessins et 20 000 plans environ sont réalisés. Les ordinateurs permettent aussi de simuler les performances et comportements en vol de l'appareil.

Les avions-cargos, des baleines volantes

Les différentes parties des avions Airbus sont fabriquées aux quatre coins de l'Europe et sont assemblées à Toulouse et à Hambourg. Ces éléments, lourds et volumineux, sont transportés par des avions-cargos géants qui peuvent contenir jusqu'à 45,5 t de chargement dans leurs énormes soutes. Ce sont les plus gros avions de transport du monde.

Les étapes de fabrication

Dans d'immenses hangars, le fuselage central, sur lequel son montées les ailes, est assemblé. Puis sont ajoutées les parties avant et arrière du fuselage. Le train d'atterrissage est fixé. La pressurisation est alors testée pour qu'à l'intérieur de l'appareil, pilotes et passagers ne ressentent pas l'effet de pression lorsqu'ils seront en altitude. Les moteurs sont posés et l'aménagement intérieur est alors réalisé. Viennent ensuite des essais au sol pour tester tous les systèmes électriques, les équipements, et vérifier la résistance des matériaux. On procède enfin aux vérifications moteurs et à des essais en vol destinés à contrôler le comportement de l'avion et sa sécurité.

Il faut compter environ deux ans entre l'assemblage des pièces et le premier vol d'un avion.

L'AÉROPORT

Un grand aéroport est comme une ville ouverte sur le ciel. Les avions décollent et atterrissent sans cesse et le trafic ne s'arrête que quelques heures dans la nuit. Au sol, des milliers de personnes veillent au bon fonctionnement de l'aéroport et à la sécurité des passagers. En plus des aérogares et des pistes, l'aéroport comprend des zones de fret où sont entreposées des marchandises transportées par avion, et des zones d'entretien où l'on révise et répare les appareils dans de grands hangars. D'autres véhicules circulent à l'aéroport : camions-pompes qui alimentent les avions en kérosène, véhicules incendie, engins élévateurs.

La tour de contrôle

Du haut de la tour de contrôle, qui domine l'aéroport, les contrôleurs aériens suivent en permanence sur leurs écrans la position et la trajectoire des avions dans un rayon de 50 à 80 km. Au-delà, ce sont des centres régionaux de navigation aérienne qui prennent le relais. Les contrôleurs sont en contact avec les pilotes par liaison radio, leur donnent l'autorisation d'atterrir ou de décoller et leur indiquent quelle piste prendre.

Le fret et la poste

Des tonnes de marchandises sont transportées par voie aérienne dans des avions-cargos : c'est le fret. Un 747 peut ainsi contenir une cargaison d'une centaine de tonnes. Les avions-cargos transportent de tout : matériel informatique, fruits et légumes, journaux, voiliers, voitures, mais aussi toutes sortes d'animaux. La nuit, des avions spéciaux acheminent lettres et colis. Pour les liaisons long-courriers, ceux-ci sont stockés dans la soute d'avions mixtes (cargos et passagers).

Les pistes

Une piste mesure environ 3 200 m de long et 45 m de large. Elles sont construites sur l'axe des vents dominants. Un avion décolle et atterrit toujours face au vent. Des voies de circulation relient la piste aux aires de stationnement. Les pistes sont bordées de nombreuses balises lumineuses qui guident le pilote, et des faisceaux d'ondes radioélectriques lui indiquent la trajectoire parfaite à suivre. Chaque piste est inspectée régulièrement pour vérifier son bon état et le balisage.

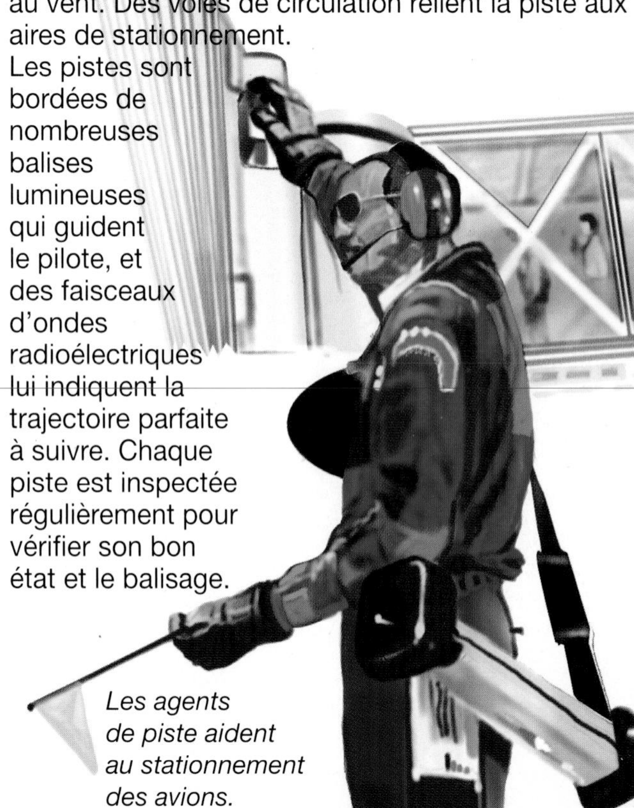

Les agents de piste aident au stationnement des avions.

L’embarquement

Lorsque le voyageur a franchi les contrôles de police et de sûreté, il attend dans la salle d’embarquement. Quand son vol est appelé, il remet sa carte d’embarquement à une hôtesse et se dirige vers une passerelle télescopique qui le conduit directement dans l’avion.

L’enregistrement

Au comptoir d’enregistrement, le passager présente son billet d’avion et dépose ses bagages. L’hôtesse les enregistre, les étiquette et donne au passager sa carte d’embarquement. Un tapis roulant emporte les bagages dans une zone de tri, puis ils seront transportés vers l’avion pour être placés dans les soutes.

Les services de l’aéroport

On trouve dans les aéroports divers services : boutiques, cafés, restaurants, coiffeurs, services postaux, banques, bureaux de change, lieux de culte, postes de police et même service médical d’urgence. Dans les postes de sécurité à incendie, les pompiers sont prêts à intervenir à tout moment.

Les contrôles

Au départ, la police aux frontières contrôle l’identité et le passeport des passagers. Le voyageur passe sous un portique magnétique (pour vérifier qu’il ne transporte pas d’armes) et les bagages à main sont scrutés aux rayons X. À l’arrivée, la police vérifie à nouveau les papiers des passagers, puis la douane contrôle les bagages pour éviter l’entrée d’objets dangereux ou interdits dans le pays.

LES HÉLICOPTÈRES

Depuis longtemps, les inventeurs comme Léonard de Vinci rêvaient d'un engin volant grâce à des ailes tournantes. L'Espagnol Jean de la Cierva réussit en 1923 un vol prolongé avec un « autogire » : mi-avion, mi-hélicoptère. C'est en 1939, avec le VS 300 de Sikorsky, que l'hélicoptère prend sa forme actuelle : une hélice à plusieurs pales fixée au-dessus de l'appareil le fait décoller à la verticale. Les hélicoptères, qui peuvent se poser sur des zones inaccessibles aux avions, jouent un rôle important dans les guerres. Ils sont surtout indispensables pour les sauvetages en mer ou en montagne.

Le Tiltrotor peut aussi transporter de riches hommes d'affaires dans le centre des très grandes villes.

Un hélicoptère convertible, le Tiltrotor

Cet appareil combine la vitesse d'un avion et les capacités de décollage et d'atterrissage sans piste d'un hélicoptère. Il va deux fois plus vite (509 km/h) qu'un hélicoptère de même catégorie. Il peut transporter 9 passagers et voler dans les climats les plus extrêmes. Son rayon d'action de 13 880 km lui permet d'atteindre des lieux très éloignés ; il est donc particulièrement utile pour assurer des liaisons avec des plates-formes pétrolières. Mais il est aussi capable d'effectuer des missions de secours médical d'urgence, de surveillance maritime, ou de localiser des navires en détresse.

Les hélicoptères militaires peuvent remplir plusieurs missions et se rendre de moins en moins détectables. Le RAH 66 Comanche de Boeing est le premier hélicoptère furtif.

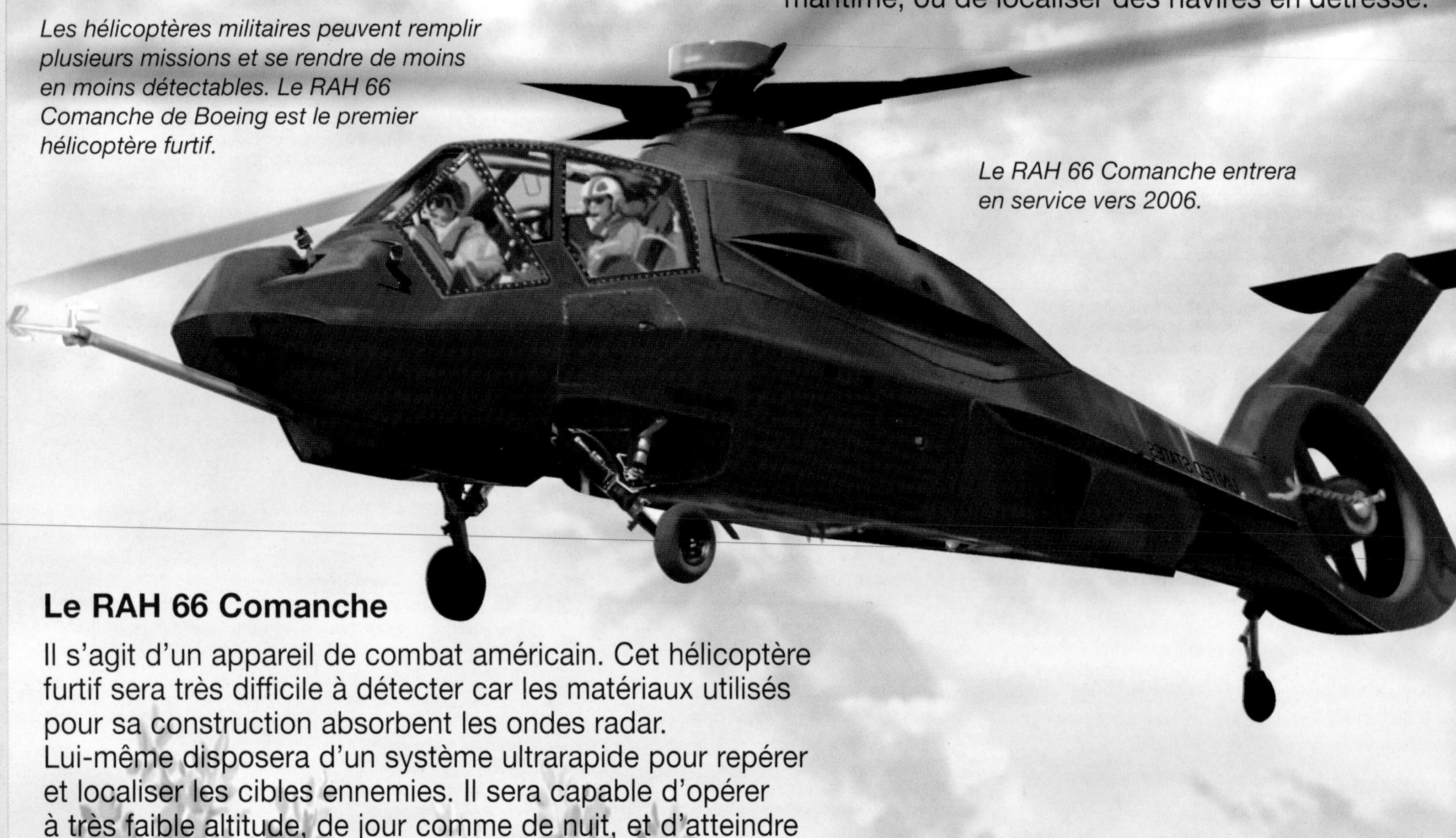

Le RAH 66 Comanche entrera en service vers 2006.

Le RAH 66 Comanche

Il s'agit d'un appareil de combat américain. Cet hélicoptère furtif sera très difficile à détecter car les matériaux utilisés pour sa construction absorbent les ondes radar. Lui-même disposera d'un système ultrarapide pour repérer et localiser les cibles ennemies. Il sera capable d'opérer à très faible altitude, de jour comme de nuit, et d'atteindre une vitesse de 320 km/h.

Le Tigre

Cet hélicoptère de combat de nouvelle génération sera l'élément déterminant de la future armée européenne qui devrait le recevoir à partir de 2002. Une caméra à infrarouge et des télémètres laser (pour mesurer les distances) lui permettent de détecter ses cibles de nuit. Une autre caméra, fixée à l'avant, reliée au casque du pilote, suit ses mouvements de tête. Grâce à ce système, appelé « Flir », le pilote peut ainsi commander les tirs par de simples gestes de la tête.

Volant jusqu'à 260 km/h, le Tigre peut se poser sur tous les terrains et échapper aux radars.

L'Écureuil peut voler à une vitesse de 250 km/h.

Le pilote dispose de grandes surfaces vitrées qui lui donnent une large visibilité. L'Écureuil est souvent utilisé pour les secours en montagne.

L'Écureuil AS 350 B3

Cet hélicoptère est adapté aux conditions extrêmes. Il peut intervenir à haute altitude (jusqu'à 7 000 m) et résister à des températures élevées. Ses capacités lui permettent d'accueillir un pilote et 5 passagers, et de parcourir 575 km. Grâce à son treuil, il hisse des charges de 200 kg.

L'AVIATION LÉGÈRE

Les avions de tourisme sont le plus souvent des appareils à hélice avec moteur à pistons. La plupart sont munis d'instruments de navigation pour les longs voyages, et même les vols de nuit. Pouvant transporter jusqu'à 6 passagers, ils volent à des vitesses de 200 à plus de 400 km/h. Dans les aéro-clubs, on apprend les bases essentielles du pilotage pour effectuer ensuite des voyages de loisirs ou d'affaire, participer à des compétitions, faire de la voltige, ou préparer le brevet de pilote professionnel. Il existe aussi des appareils plus simples à piloter que les avions : les ULM (Ultralégers Motorisés).

Ce monomoteur de grand tourisme, le Président DR 500, peut franchir des étapes de plus de 1 500 km à près de 260 km /h. À bord, il peut accueillir le pilote et 4 passagers.

Piloter un avion de tourisme

Il suffit de 15 à 20 heures de vol avec un instructeur pour passer le brevet de base permettant de piloter un petit avion. Pour voler avec des passagers, il faut obtenir la licence de pilote privé, qui demande environ 50 heures d'entraînement. Puis on peut se perfectionner afin de piloter des avions plus puissants, comme le Président DR 500, ci-dessus. Des règles de sécurité très strictes doivent être suivies pour décoller, atterrir et voler selon les instructions radio de la tour de contrôle et les informations météo.

Les derniers-nés des avions de tourisme sont de plus en plus performants. Le Piper Malibu Mirage, ci-dessous, vole à une vitesse de croisière de 400 km/h environ et atteint 430 km/h en pointe. Sa cabine pressurisée lui permet de voler à une altitude de plus de 7 500 m. Outre le pilote et le copilote, il peut transporter 4 passagers avec tout le confort à bord. Le pilote dispose d'un pilotage automatique, d'un radar météo et d'instruments indiquant la position de l'avion.

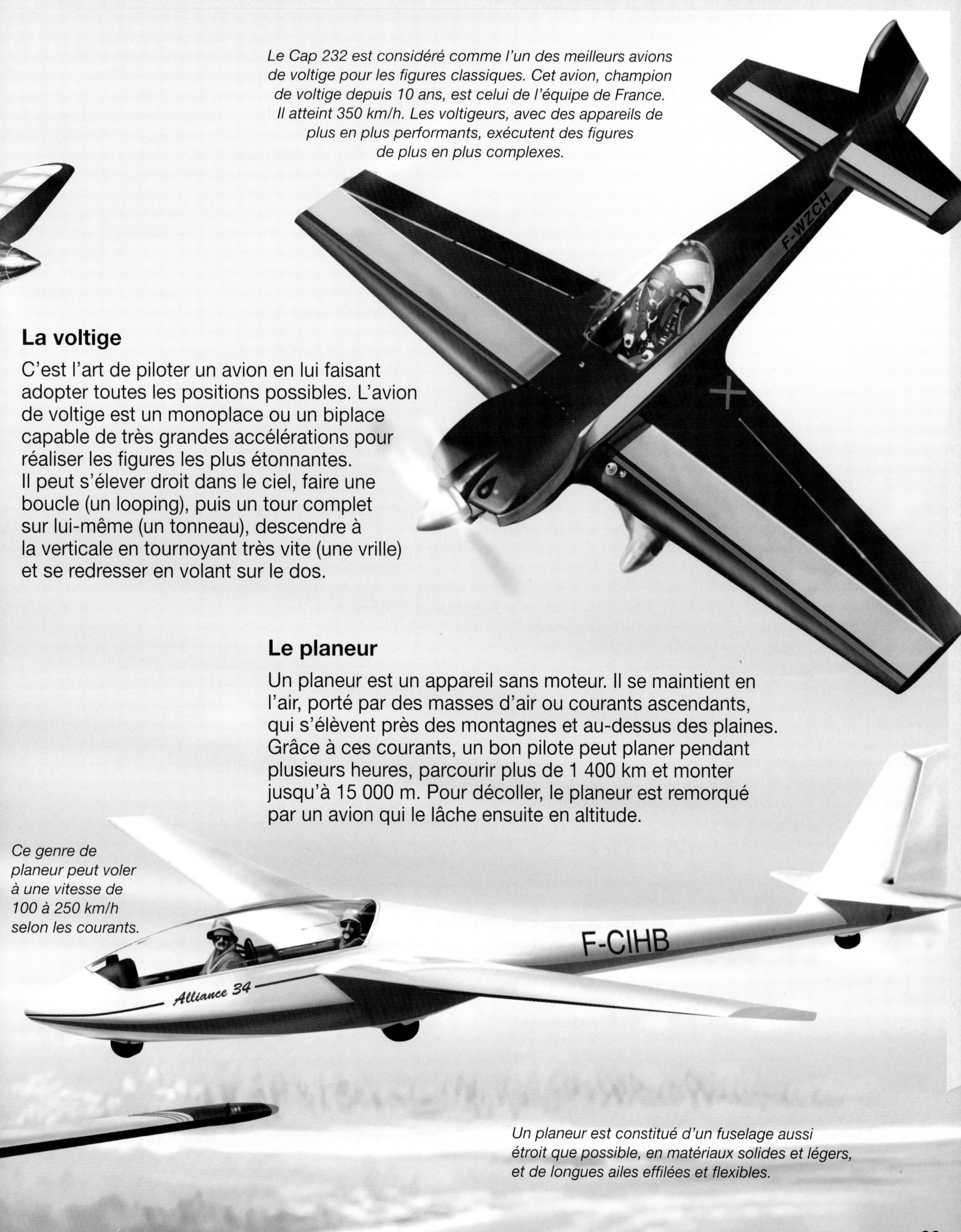

Le Cap 232 est considéré comme l'un des meilleurs avions de voltige pour les figures classiques. Cet avion, champion de voltige depuis 10 ans, est celui de l'équipe de France. Il atteint 350 km/h. Les voltigeurs, avec des appareils de plus en plus performants, exécutent des figures de plus en plus complexes.

La voltige

C'est l'art de piloter un avion en lui faisant adopter toutes les positions possibles. L'avion de voltige est un monoplace ou un biplace capable de très grandes accélérations pour réaliser les figures les plus étonnantes. Il peut s'élever droit dans le ciel, faire une boucle (un looping), puis un tour complet sur lui-même (un tonneau), descendre à la verticale en tournoyant très vite (une vrille) et se redresser en volant sur le dos.

Le planeur

Un planeur est un appareil sans moteur. Il se maintient en l'air, porté par des masses d'air ou courants ascendants, qui s'élèvent près des montagnes et au-dessus des plaines. Grâce à ces courants, un bon pilote peut planer pendant plusieurs heures, parcourir plus de 1 400 km et monter jusqu'à 15 000 m. Pour décoller, le planeur est remorqué par un avion qui le lâche ensuite en altitude.

Ce genre de planeur peut voler à une vitesse de 100 à 250 km/h selon les courants.

Un planeur est constitué d'un fuselage aussi étroit que possible, en matériaux solides et légers, et de longues ailes effilées et flexibles.

LES AVIONS MILITAIRES

Ils doivent pouvoir aller très vite à des milliers de kilomètres et remplir diverses missions de renseignement et d'attaque. Ces avions de combat, équipés de commandes électroniques de vol, de réacteurs puissants et de canons, peuvent lancer roquettes et missiles. Ils sont capables de combattre l'ennemi sans le voir, de jour comme de nuit, grâce à leurs radars, aux détecteurs à infrarouge et aux armes guidées par laser. Ces avions, dits « furtifs », parviennent aussi à échapper aux radars. La tendance actuelle est aux avions multirôles pouvant effectuer plusieurs types de mission et en changer au cours d'un même vol.

Armé d'un canon de 30 mm, de missiles et de bombes, le Mirage 2000 est actuellement le premier chasseur multicible et multirôle européen.

Le Mirage 2000-5

Cet avion multirôle mis en service en 1984 a connu de nombreuses évolutions. Les Mirage 2000-5 font partie de la flotte d'avions de combat de l'armée de l'air française. Ce chasseur est équipé d'un radar multicible, capable de détecter simultanément et à n'importe quelle altitude 24 cibles. Devant le pilote, le tableau de bord est muni de 5 écrans couleur fournissant les indications nécessaires au pilotage et au combat. Le rayon d'action des Mirage 2000-5 est de 1 850 km.

Le Rafale existe en différentes versions, monoplace et biplace.

Le Rafale

Cet avion de combat français multirôle, puissant et équipé d'un système d'armes sophistiqué, a été conçu en différentes versions pour équiper aussi bien l'armée de l'air que l'aviation navale. Ainsi, il peut opérer à partir d'un aérodrome à terre, ou d'un porte-avions en mer. Le Rafale M dispose d'un radar à balayage électronique et son viseur infrarouge permet de détecter un avion chasseur à plus de 100 km.

Le Rafale M est la version la plus élaborée et peut embarquer sur le porte-avions à propulsion nucléaire Charles-de-Gaulle.

Le F-117 A Night Hawk

Ce monoplace d'attaque nocturne (d'où son nom, qui signifie « faucon de nuit ») est un avion de combat lui aussi furtif : il échappe presque totalement aux détections radar et infrarouge. En effet, son fuselage est revêtu d'un matériau qui absorbe les ondes radars. Le flux d'air chaud sortant des réacteurs est invisible et ne trahit donc pas sa présence dans le ciel. Opérationnel depuis octobre 1983, il a largué des bombes guidées par laser sans être touché ni détecté pendant la guerre du Golfe.

Celui que l'on a surnommé le « bombardier de Bagdad », à cause de son rôle dans la guerre du Golfe, devrait être maintenu en service jusqu'en 2010. Actuellement, on modernise les équipements de navigation et du calculateur de tir.

Le F22 Raptor

Ce futur chasseur américain devrait surpasser dans tous les domaines les avions de combat actuels. Il est à la fois furtif et très maniable. À l'intérieur du cockpit, le pilote dispose de 4 écrans lui donnant les instructions nécessaires au pilotage et à la tactique de combat à adopter. L'armement, logé dans les 3 soutes, est constitué d'un canon et de 8 missiles. Le F22 Raptor remplacera le F15 actuel et devrait entrer en service dans l'armée de l'air américaine en 2004.

En anglais, « raptor » signifie « rapace ».

L'AVENIR

Au XXIe siècle, deux milliards de personnes prendront l'avion chaque année. Les passagers seront de plus en plus nombreux sur des trajets longs de 8 000 à 12 000 km. C'est pourquoi les constructeurs imaginent des appareils de plus en plus grands avec des rayons d'action de plus en plus étendus. Le prochain avion supersonique volera à plus de deux fois la vitesse du son. Au-delà de 2020, avec la saturation des grands aéroports, on imagine des appareils capables de transporter 800 à 1 000 passagers. Certains adopteront peut-être des formes révolutionnaires, comme l'Aile volante.

Avec une envergure de 96 m, l'Aile volante dépassera les dimensions des pistes ordinaires, mais un système de repliement de l'extrémité des ailes lui permettra quand même d'atterrir sur les pistes actuelles et ne demandera pas de hangars spéciaux.

Le supersonique européen

Pour remplacer le Concorde, les industriels européens (Aérospatiale Matra, Airbus, British Aerospace, Daimler Chrysler Aerospace) ont mis au point un programme de recherche supersonique appelé PERS. Ce supersonique de 2e génération devrait accueillir 250 à 300 passagers et parcourir des distances de plus de 10 000 km. Idéal pour assurer des liaisons à travers le Pacifique, cet avion atteindra une vitesse de Mach 2 (2 124 km/h) à Mach 2,4 (2 550 km/h).

Bénéficiant des dernières innovations technologiques, ce futur supersonique consommera moins de carburant, sera moins polluant et moins bruyant que le Concorde. Il pourrait entrer en service vers 2015-2020.

L'Aile volante, encore à l'étude, ne comporte pas de hublots. Les spécialistes s'interrogent, car cela pourrait gêner certains passagers...

L'Aile volante

L'Aerospatiale Matra met au point un projet d'aile volante capable de transporter 1 000 passagers sur plus de 12 000 km. La forme de l'appareil le rendra plus aérodynamique et réduira ainsi sa consommation de carburant. Les passagers disposeront d'un large espace cabine. L'étude en cours ne prévoit pas de hublots, mais, grâce à des caméras, on pourra voir l'environnement extérieur sur des écrans plats. La cabine passagers, sur deux niveaux, aura des allées centrales bordées de boutiques. Depuis son siège, le passager aura accès au téléphone, à la télévision, à la radio, à Internet... Il disposera aussi de bars, salons et cabines individuelles avec couchettes.

L'Aile volante Aérospatiale Matra pourrait entrer en service vers 2020. De son côté, Boeing envisage aussi un projet d'aile volante pour l'horizon 2010-2015.

Les avions de combat du futur

On imagine pour l'avenir des avions de combat sans pilote (drones), qui réuniront en un seul appareil les caractéristiques d'un chasseur, d'un bombardier, d'un missile de croisière et d'un drone. Baptisés en anglais UCAV (avions de combat sans pilote), ces appareils sont à l'état expérimental aux États-Unis. Ils seraient utilisés dans les conflits pour détruire les défenses antiaériennes adverses (radars, etc.) avant d'envoyer des chasseurs bombardiers avec pilote.

Boeing met au point un drone de combat furtif. Il n'y aura pas de pilote à bord, mais, au sol, un opérateur suivra à distance la trajectoire de l'appareil. Grâce à un système de navigation très précis utilisant le GPS (moyen de localisation par satellite), le drone pourra se poser tout seul à terre. Une caméra embarquée enregistrera le déroulement du vol. Un seul opérateur pourra même contrôler plusieurs de ces drones.

TABLE DES MATIÈRES

ISBN : 2.215.064.86.2

Dépôt légal : date de parution.
Conforme à la Loi n°49-956 du 16 juillet 1949 sur
les publications destinées à la jeunesse.
Imprimé en Italie (01-02).